そらいろのたね

福音館書店

なかがわりえこ 文　　おおむら ゆりこ 絵

ゆうじは、のはらで　もけいひこうきを　とばしていました。

すると、もりの　きつねが　かけてきて、

「やあ！　いいひこうきだなあ！

ゆうじくん、ぼくに、その　ひこうきを　ちょうだい」

と、いいました。

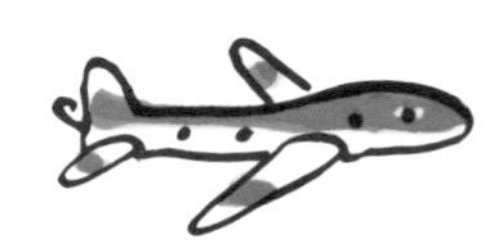

「あげないよ。だって　この　ひこうきは、ぼくの　たからものだもの」と、ゆうじが　いうと、きつねは、

「それじゃあ、ぼくの　たからものと、とりかえて」

と、ぽけっとから　そらいろのたねを　ひとつ　だしました。

　ゆうじは　ひこうきと　たねを　とりかえました。

ゆうじは　いえに　かえって、にわの　まんなかに
たねを　うめました。
そして　みずを　たくさん　かけてから、がようしに
くれよんで、『そらいろのたね』と　かいて、たてました。

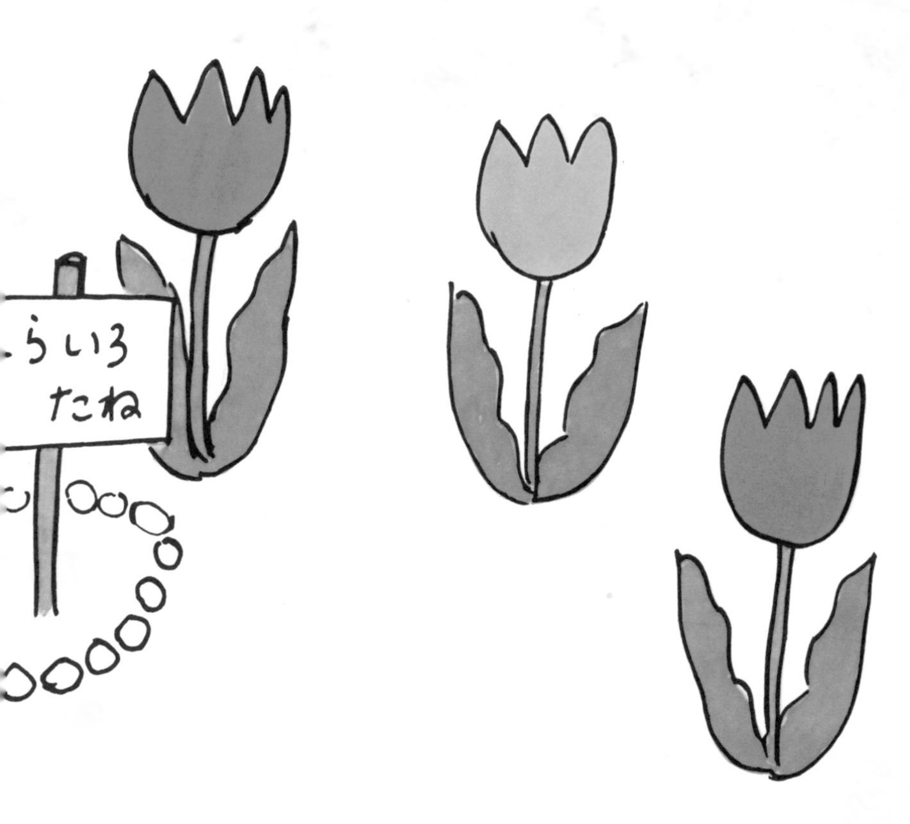

そらいろ
の たね

つぎのあさ　はやく、
「もう　めは　でたかな？」
と、ゆうじが　みると、おや　まあ、
つちの　なかから、まめぐらいの
そらいろのいえが　でてきました。
「うちが　さいた！　うちが　さいた！」
ゆうじは、いそいで　じょうろを　もってくると、
この　ちいさい　いえに　みずを　かけました。
「おおきくなあれ、おおきくなあれ」

するとそらいろのいえは、すこしずつ　おおきくなっていきました。

「おや、すてき！　ぼくの　うちだ！」と、ひよこが　やってきて、

どあを　あけて　はいりました。

そらいろのいえは、もっと　おおきくなっていきました。

「おや、すてき！　わたしの　うちがあるわ！」と、ねこが　きて　はいりました。

そのあいだも　そらいろのいえは、やすまず　おおきくなっていきました。

「おや、すてき！　ぼくの　うちがあるぞ！」
と、ぶたも　きました。
「ゆうじくん、ほんとうに　いい　うちだね！」
　まどに、ひよこと　ねこと　ぶたの、うれしそうな
かおが　ならびました。

　おひさまのひかりを　あびて、みずを　かけてもらって、
そらいろのいえは、またまた　おおきくなりました。
「すてき！　ぼくの　うちだ！」
と、こんどは、ゆうじが　はいりました。

そこへ、たろうと　はなこが　あそびにきました。

しげると　ひろしと　くみこも　きました。

そらいろのいえは、すこしも　やすまないで、おおきくなっていきます。

うさぎと　りすと　はとが　きました。

いのししと　たぬきも　きました。

おとうさんぞうと、おかあさんぞうと、
こどものぞうも　きました。

そらいろのいえは、それでも、
おおきく　おおきくなっていき、

とうとう　おしろのように　りっぱな
いえが　できあがりました。
「ぼくも　いれて！」
「わたしも　いれて！」
　まちじゅうの　こどもが　みんな
いえの　なかに　はいってきました。
　もりじゅうの　どうぶつも、あとから
あとから　やってきます。

　きつねも　やってきて、
「うわぁ　すごい！　なんて　おおきいうちだろう！」
と、めを　まるくしました。
「おーい、きつねくん。そらいろのたねから、
うちが　はえてきたんだよー」　みんなが　いうと、
「うへー　おどろいた！」
と、きつねは　とびあがり、
「ゆうじくん、ひこうきは　かえすよ。
だから　このうちも　かえして」と、いいました。
　そして、おおごえで、どなりだしました。
「おーい、このうちは　ぼくのうちだからね。だまって
はいらないでよー。みんな　でていっておくれー」

「おーい、このうちは　ぼくのうちだからね。
だまって　はいらないでよー。
みんな　でていっておくれー」

　どあが　あいて、こどもが　ひゃくにん、
どうぶつが　ひゃっぴき、とりが　ひゃっぱ
でてきました。

　きつねは、おおいばりで　そらいろのいえの
なかへ　はいると、どあの　かぎを　かけました。
　いえじゅう　はしりまわって、
まどを　のこらず　しめました。
　すると、そらいろのいえは、きゅうに
どんどん　おおきくなりだしました。
「あ、たいへん！　おひさまに　ぶつかる！」
　ゆうじが　さけんだときです。

　いえが　おおきく　ゆれたかとおもうと、
まるで　そらいろの　はなびらが　ちるように、
やねも　かべも　まども、くずれはじめました。
「あっ！」
　みんなは　あたまを　かかえて、
じめんに　うつぶしました。

しばらくして、あたまを　あげてみると、そらいろのいえは　どこにもなく、『そらいろのたね』と　かいた　がようしだけが、たっていました。

そして、そのよこに、びっくりぎょうてんして　めをまわした　きつねが　のびていました。

こどものとも傑作集　1967年1月20日　第1刷
1979年5月31日　改訂版第1刷　　1995年1月20日　改訂版第46刷

作者紹介

中川李枝子（なかがわ・りえこ）

札幌に生まれた。東京都立高等保母学院を卒業後、保母として働くかたわら、児童文学グループ《いたどり》の同人として創作活動を続けた。現在は著作に専念している。1962年出版した童話「いやいやえん」(福音館書店刊）は、厚生大臣賞、NHK児童文学奨励賞、サンケイ児童出版文化賞、野間児童文芸賞推奨作品賞を受賞した。おもな著書に童話「ももいろのきりん」「かえるのエルタ」、絵本には「ぐりとぐらのおきゃくさま」(厚生大臣賞受賞)「ぐりとぐら」(以上福音館書店刊)「こだぬき6ぴき」(岩波書店刊）など多数ある。東京在住。

大村百合子（おおむら・ゆりこ）

東京に生まれた。上智大学卒業。童話「いやいやえん」「かえるのエルタ」「らいおんみどりの日ようび」のさし絵、絵本「ぐりとぐら」「ぐりとぐらのおきゃくさま」など、実姉中川李枝子さんとのコンビの仕事が多数ある。楽しいさし絵は、日本の子どもばかりでなく外国でも高く評価され、「ぐりとぐら」や、この「そらいろのたね」はイギリスからも出版されている。東京在住。

そらいろのたね　　NDC 913　28p　20×27cm　ISBN4-8340-0084-2
1964年4月1日発行／発行所　113 東京都文京区本駒込6－6－3　**福音館書店**／振替00150-6-117645／電話　営業部 03(3942)1226／編集部 03(3942)2082

＊印刷　精興社／製本　清美堂
Published by Fukuinkan-Shoten, Tokyo, Japan. Printed in Japan by Seikosha Co., Ltd.